Le petit livre

TAGADA®

LENE KNUDSEN
Photographies de Ilona Chovancova

MARABOUT

REMERCIEMENTS

L'auteur remercie toute l'équipe de Marabout ainsi que Ilona Chovancova
pour son aide précieuse.

Avec la collaboration de **HARIBO**®.
TAGADA® est une marque appartenant à la société Haribo® Ricqlès Zan et ne peut être
reproduite sans l'autorisation de Haribo®.

Shopping : Lene Knudsen
Suivi éditorial : Marie-Eve Lebreton
Relecture : Véronique Dussidour
Mise en pages : Gérard Lamarche

© Hachette Livre (Marabout) 2012
ISBN : 978-2-501-07304-2
40-7661-8 /06
Achevé d'imprimer en novembre 2012
sur les presses d'Impresia-Cayfosa en Espagne
Dépôt légal : janvier 2012

SOMMAIRE

KIT CHEESE-CAKES

POUR 4 PETITS CHEESE-CAKES

100 g de bisuits secs, 30 g de Speculoos®, 70 g de beurre, 350 g de fromage frais, 8 cl de crème fraîche entière, 80 g de sucre en poudre, 1 œuf + 1 jaune, ½ cuillerée à café d'extrait de vanille, 1 cuillerée à soupe de zestes de citron bio

Émietter finement les biscuits secs et les Speculoos®. Dans une casserole, faire fondre le beurre à feu doux puis ajouter les biscuits émiettés et bien mélanger. Beurrer 4 moules ronds de 12 cm de diamètre, et tapisser le fond de papier cuisson. Répartir les biscuits émiettés dans le fond des moules et, à l'aide du dos d'une cuillère à soupe, lisser la surface. Dans un bol, mixer finement le fromage frais, la crème fraîche et le sucre. Ajouter l'œuf et le jaune puis l'extrait de vanille et les zestes de citron. Bien mélanger. Remplir les moules de la préparation jusqu'aux trois quarts. Verser ensuite le coulis et dessiner de jolis cercles à l'aide de la pointe d'un couteau puis enfourner à 160 °C et faire cuire 25 à 30 minutes. Laisser refroidir sur une plaque puis réserver au réfrigérateur.

COULIS CERISES-TAGADA®
80 g de cerises, 4 cuillerées à soupe d'eau, 4 cuillerées à soupe de sucre en poudre, 4 TAGADA® coupées en morceaux

COULIS TAGADA®
6 TAGADA® coupées en morceaux, 80 g de fraises coupées en quatre, 4 cuillerées à soupe d'eau, 4 cuillerées à soupe de sucre en poudre

COULIS MYRTILLES-TAGADA®
100 g de myrtilles, 4 TAGADA® coupées en morceaux, 4 cuillerées à soupe d'eau, 4 cuillerées à soupe de sucre en poudre

COULIS RHUBARBE-TAGADA®
100 g de rhubarbe coupée en petits morceaux, 4 TAGADA® coupées en morceaux, 20 cl d'eau, 5 cuillerées à soupe de sucre en poudre, ½ cuillerée à café d'extrait de vanille

Faire cuire à feu doux tous les ingrédients, sans cesser de mélanger, jusqu'à obtenir un coulis un peu épais.

KIT TRUFFES

TRUFFES CHOCOLAT NOIR
**125 g de chocolat noir, ½ sachet
de TAGADA®**

Faire fondre le chocolat au bain-marie
à feu doux. Mettre hors du feu. Enrober
les TAGADA® de chocolat et les déposer
sur une feuille de papier cuisson.

TRUFFES CHOCOLAT AU LAIT
**125 g de chocolat au lait, ½ sachet
de TAGADA®**

Faire fondre le chocolat au bain-marie
à feu doux. Mettre hors du feu. Enrober
les TAGADA® de chocolat et les déposer
sur une feuille de papier cuisson.

IDÉES D'ENROBAGE
**vermicelles de chocolat, vermicelles de
sucre coloré, petits morceaux de praliné,
1 sachet de sucre pétillant nature**

Saupoudrer les truffes avant que le chocolat
ne sèche.

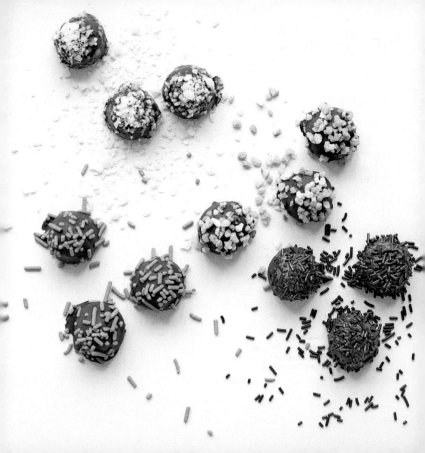

KIT PÂTES DE FRUITS

POUR 10 À 13 PÂTES DE FRUITS

40 g d'abricots secs, 10 TAGADA® coupées
en morceaux, 100 g de pâte de dattes,
250 g de pâte de figues, 2 à 3 cuillerées
à soupe de jus d'orange, 50 g de noix
de coco râpée

Dans une casserole, mettre les abricots
et recouvrir à hauteur d'eau. Laisser cuire
10 minutes à feu doux tout en remuant.
Les égoutter puis les mettre dans le bol
d'un mixeur. Ajouter le reste des ingrédients
et mixer finement. Si le mélange est trop
sec, ajouter du jus d'orange ou s'il est
trop liquide, ajouter de la poudre de noix
de coco. Réserver.

IDÉES D'ENROBAGE

20 TAGADA® rapées finement, 1 poignée
de poudre de cacao, 1 poignée de poudre
de noisette, 1 poignée de poudre de noix
de coco

Façonner des petites barres de pâte
de fruits et les enrober selon ses envies.
Réserver au réfrigérateur avant de
consommer.

SOUPE DE FRUITS ROUGES & TAGADA®

10 MIN DE PRÉPARATION - 20 MIN DE CUISSON

POUR 4 PERSONNES

300 g de fraises équeutées et coupées en quatre

50 g de sucre en poudre

10 TAGADA® coupées en morceaux

250 g de myrtilles

½ citron bio pour le zeste

1- Dans une casserole, mettre la moitié des fraises, 35 cl d'eau, le sucre et les TAGADA® puis faire cuire à feu moyen environ 10 à 15 minutes.

2- Filtrer le sirop et laisser refroidir.

3- Verser le sirop dans 4 petits bols puis ajouter le reste des fraises, les myrtilles et parsemer de zeste de citron. Réserver au frais minimum 2 heures avant de servir.

PANNA COTTA, COULIS DE TAGADA®

20 MIN DE PRÉPARATION – 4 H DE RÉFRIGÉRATION – 10 À 15 MIN DE CUISSON

POUR 2 PANNA COTTA

3 feuilles de gélatine

20 cl de crème liquide

½ gousse de vanille

30 g de sucre en poudre

25 cl de yaourt

7 fraises équeutées
et coupées en quatre

7 TAGADA® coupées en
quatre

20 g de sucre en poudre

quelques fraises des bois
pour la décoration

1- Dans un bol d'eau froide, faire tremper les feuilles de gélatine pour les ramollir pendant 5 à 10 minutes.

2- Fendre la gousse de vanille en deux dans la longueur et, à l'aide d'un couteau, récupérer les graines.

3- Dans une casserole, verser la crème liquide avec la gousse de vanille, les graines et le sucre en remuant de temps en temps. Dès ébullition, retirer du feu, ajouter les feuilles de gélatine et bien mélanger. Ajouter le yaourt et mélanger de nouveau.

4- Verser le mélange dans deux moules individuels et réserver au réfrigérateur 4 heures minimum.

5- Dans une casserole, faire cuire à feu moyen les fraises et les TAGADA®, 50 cl d'eau et le sucre. Remuer de temps en temps et laisser cuire environ 10 à 15 minutes.

6- Filtrer le sirop et réserver à température ambiante.

7- Démouler les panna cotta, les recouvrir de sirop puis décorer avec quelques fraises des bois. Servir aussitôt.

TIRAMISU À LA FRAISE & AUX TAGADA®

20 MIN DE PRÉPARATION – 10 À 15 MIN DE CUISSON

POUR 2 PERSONNES

SIROP À LA RHUBARBE

120 g de rhubarbe

6 TAGADA®

50 g de sucre en poudre

CRÈME AU MASCARPONE

2 jaunes d'œufs

30 g de sucre en poudre

150 g de mascarpone

½ cuillerée à café d'extrait de vanille

25 cl de crème liquide

½ sachet de Cremfix®

1 cuillerée à soupe de sucre glace

2 cuillerées à soupe de liqueur d'orange Cointreau® (facultatif)

8 biscuits à la cuillère

250 g de fraises équeutées et coupées en rondelles

5 TAGADA® rapées finement

1- Couper la rhubarbe en tronçons de 3 cm.
2- Dans une casserole, mettre la rhubarbe, les TAGADA®, 15 cl d'eau et le sucre. Faire cuire à feu moyen environ 10 à 15 minutes à feu doux en remuant de temps en temps. Réserver hors du feu et laisser refroidir. Filtrer le sirop.
3- Dans un bol, battre les jaunes d'œufs avec le sucre puis ajouter le mascarpone et l'extrait de vanille. Bien mélanger.
4- Monter la crème liquide bien froide en chantilly puis ajouter le ½ sachet de Cremfix®, le sucre glace puis la liqueur de Cointreau®.
5- Ajouter délicatement deux tiers de la chantilly au mélange au mascarpone.
6- Tremper les biscuits dans le sirop de rhubarbe quelques secondes puis les disposer au fond de chaque ramequin. Ajouter une couche du mélange au mascarpone puis une couche de fraises et, enfin, le reste de la chantilly. Décorer avec quelques fraises et saupoudrer de poudre de TAGADA®.

ÎLES FLOTTANTES, COULIS DE TAGADA®

20 MIN DE PRÉPARATION – 10 À 15 MIN DE CUISSON

POUR 4 PERSONNES

100 g de fraises
équeutées et coupées
en quatre

5 TAGADA® coupées
en morceaux

30 g de sucre en poudre

3 blancs d'œufs

1 pincée de sel

30 g de sucre glace

1- Dans une casserole, mettre les fraises, les TAGADA®,
10 cl d'eau, le sucre puis faire cuire à feu moyen en remuant
de temps en temps. Hors du feu, mixer le tout et laisser refroidir.
2- Battre les blancs d'œufs en neige avec le sel. Quand
les œufs commencent à prendre, verser le sucre glace
et continuer à battre jusqu'à ce qu'ils soient bien fermes.
3- Dans une casserole, faire chauffer 45 cl d'eau. À l'aide
de 2 cuillères à soupe, former 4 quenelles et les pocher
dans l'eau frémissante environ 30 secondes puis les égoutter.
4- Verser le coulis de TAGADA® dans quatre petites assiettes
creuses, ajouter les îles flottantes et décorer avec quelques
fraises coupées en deux.

MINI CORNETS GLACÉS & POUDRE DE TAGADA®

20 MIN DE PRÉPARATION – 20 MIN DE CUISSON

POUR 10 CORNETS

125 g de beurre

220 g de sucre en poudre

2 œufs

12,5 cl de lait

½ cuillerée à café
d'extrait de vanille

250 g de farine

½ citron bio

20 cl de crème liquide
bien froide

½ sachet de Cremfix®
(facultatif)

2 cuillerées à soupe
de sucre glace

20 TAGADA® rapées
finement

1- Dans une casserole, faire fondre le beurre à feu doux.
2- Dans un grand bol, verser le beurre fondu et le sucre.
Bien mélanger. Ajouter les œufs avec le lait, l'extrait de vanille,
12,5 cl d'eau puis la farine et les zestes de citron. Mélanger
jusqu'à ce que la pâte soit bien homogène.
3- Dans une poêle, faire fondre une noisette de beurre puis
verser une petite louche de pâte. Faire dorer la crêpe
de chaque côté et, une fois cuite, l'enrouler sur elle-même
pour former un cornet et laisser durcir. Continuer jusqu'à
épuisement de la pâte.
4- Monter la crème liquide en chantilly et quand elle commence
à prendre, verser la poudre Cremfix® avec le sucre glace
et continuer à battre jusqu'à ce qu'elle soit bien ferme.
5- Râper finement 20 TAGADA®.
6- Remplir les cornets de crème chantilly et décorer avec
la poudre de TAGADA®.

GLACES TAGADA® & FRUITS ROUGES

5 MIN DE PRÉPARATION – 10 À 15 MIN DE CUISSON – 3 H DE RÉFRIGÉRATION

1- Dans une casserole, faire chauffer à feu doux les fraises, 12 cl d'eau, le sucre et les TAGADA® en mélangeant de temps en temps. Laisser cuire environ 10 à 15 minutes. Filtrer le sirop et laisser refroidir.

2- Dans un grand bol, mélanger le yaourt avec la crème liquide puis ajouter le sirop de fraises sans trop mélanger.

3- Verser dans 3 petits pots puis mettre au congélateur 3 heures minimum avant de déguster. Décorer avec quelques TAGADA®.

POUR 3 PETITS POTS

8 TAGADA®
coupées
en morceaux

150 g de
fraises
équeutées
et coupées
en quatre

15 g
de sucre
en poudre

1,5 pot
de yaourt
nature

60 cl de
crème liquide

BÂTONNETS TAGADA® & NOIX DE COCO

5 MIN DE PRÉPARATION – 15 MIN DE CUISSON – 3 À 4 H DE RÉFRIGÉRATION

POUR 6 BÂTONNETS

10 TAGADA® coupées
en morceaux

50 cl de crème liquide

40 g de mascarpone

1,5 pot de yaourt nature

30 g de noix de coco
râpée

1- Dans une casserole, faire chauffer à feu doux les TAGADA®
avec la crème liquide sans cesser de remuer jusqu'à
dissolution des bonbons. Laisser refroidir.

2- Dans un bol, mélanger le yaourt avec le mascarpone et
incorporer la crème aux TAGADA®, sans trop mélanger.

3- Verser dans des moules à esquimaux aux trois
quarts et enfoncer un bâtonnet à mi-hauteur.
Congeler minimum 3 à 4 heures avant de déguster.

4- Recouvrir les esquimaux démoulés de noix de
coco râpée avant de déguster.

GÂTEAU DE SAVOIE, GLAÇAGE TAGADA®

15 À 20 MIN DE PRÉPARATION – 25 À 30 MIN DE CUISSON

POUR 6 PERSONNES

4 TAGADA® coupées
en morceaux

5 framboises

70 g de sucre glace

6 œufs

220 g de sucre en poudre

80 g de farine

70 g de fécule de pomme
de terre

le zeste de 1 citron

15 g de beurre

1- Dans une casserole, faire fondre les TAGADA® à feu doux avec 2 cuillerées à soupe d'eau sans cesser de remuer jusqu'à dissolution des bonbons. Laisser refroidir.

2- Dans un petit bol, écraser les framboises à l'aide d'une fourchette, ajouter les TAGADA® fondues et le sucre glace. Réserver.

3- Préchauffer le four à 200 °C.

4- Séparer les blancs des jaunes d'œufs. Mélanger le sucre avec les jaunes et faire blanchir le mélange. Ajouter le zeste du citron, la farine et la fécule de pomme de terre petit à petit, tout en mélangeant.

5- Monter les blancs en neige puis les incorporer délicatement au mélange précédent.

6- Beurrer un moule à gâteau et y verser la pâte aux trois quarts. Enfourner pour 5 minutes puis baisser la température du four à 150 °C et laisser cuire 20 à 25 minutes.

7- Une fois refroidi, démouler sur une grille puis saupoudrer de sucre glace et recouvrir de glaçage framboises-TAGADA®.

ANGEL FOOD CAKE, COULIS TAGADA®

15 À 20 MIN DE PRÉPARATION – 45 À 55 MIN DE CUISSON

POUR 6 PERSONNES

7 blancs d'œufs

1 pincée de sel

1 cuillerée à café de jus de citron

1 cuillerée à café d'extrait de vanille

210 g de sucre en poudre

80 g de farine

100 g de fraises équeutées et coupées en quatre

10 TAGADA® coupées en morceaux

sucre glace (pour la décoration)

1- Préchauffer le four à 170 °C.

2- Monter les blancs d'œufs en neige avec le sel. Quand le mélange commence à être ferme, ajouter le jus de citron, l'extrait de vanille et 180 g de sucre progressivement sans cesser de battre. Ajouter la farine et bien mélanger.

3- Verser la pâte dans un moule à bord haut sans le beurrer.

4- Enfourner pour 35 à 45 minutes. Vérifier la cuisson avec la pointe d'un couteau : elle doit ressortir sèche. Laisser refroidir à l'envers puis démouler.

5- Dans une casserole, faire chauffer à feu doux les fraises et les TAGADA® avec 15 cl d'eau et le reste du sucre jusqu'à ce que les fraises soient bien cuites. Réserver.

6- Servir le cake saupoudré de sucre glace et accompagné du coulis aux fraises.

CUPCAKES À LA CRÈME DE TAGADA®

20 MIN DE PRÉPARATION – 35 À 40 MIN DE CUISSON

POUR 8 CUPCAKES

MUFFINS

80 g de beurre

180 g de farine

1,5 cuillerée à café
de levure chimique

120 g de sucre en poudre

40 g de cerises
dénoyautées

1 œuf

2 pots de yaourt nature

CRÈME

2,5 blancs d'œufs

2 cl de sirop de maïs clair

15 TAGADA® coupées en
morceaux

120 g de sucre en poudre

sucre glace
(pour la décoration)

colorant rose (facultatif)

1- Préchauffer le four à 170 °C.
2- Dans une casserole, faire fondre le beurre à feu doux. Réserver.
3- Mélanger la farine avec la levure et le sucre puis verser dans un grand bol. Faire un puits au centre et y mettre les cerises.
4- Mélanger l'œuf avec le beurre fondu et les yaourts puis les ajouter au mélange précédent. Mélanger délicatement jusqu'à ce que la pâte soit homogène.
5- Verser la pâte dans des moules à muffin et enfourner pour 20 à 25 minutes. Vérifier la cuisson avec la pointe d'un couteau : elle doit ressortir sèche. Démouler et laisser refroidir.
6- Battre les blancs d'œufs en neige avec le sirop de maïs.
7- Dans une casserole, faire chauffer à feu doux les TAGADA® avec le sucre et 10 cl d'eau. Mélanger jusqu'à ce que le sucre soit fondu puis continuer la cuisson. Vérifier à l'aide d'un thermomètre à sucre la température du caramel. Elle ne doit pas dépasser 114 °C.
8- Verser le caramel en filet sur les blancs d'œufs et continuer de battre jusqu'à ce que le mélange refroidisse. Ajouter quelques gouttes de colorant rose et bien mélanger pour obtenir une couleur homogène.
9- Recouvrir les muffins de crème aux TAGADA®. Saupoudrer de sucre glace avant de servir.

MUFFINS EN CHOCOLAT, CHANTILLY & TAGADA® EN CERISES

25 À 30 MIN DE PRÉPARATION – 1 H DE RÉFRIGÉRATION

POUR 6 MUFFINS

60 g de chocolat noir

6 TAGADA®

25 cl de crème liquide bien froide

½ cuillerée à café d'extrait de vanille

3 cuillerées à soupe de sucre glace

½ sachet de Cremfix® (facultatif)

6 queues de cerise (facultatif)

50 g de chocolat blanc

1- Faire fondre le chocolat noir au bain-marie et laisser tiédir.
2- À l'aide d'un pinceau, badigeonner le fond et le bord des caissettes à muffin de chocolat fondu. Laisser refroidir et recommencer jusqu'à ce que la couche soit suffisamment épaisse. Réserver au réfrigérateur 1 heure avant de démouler.
3- Faire fondre le chocolat blanc au bain-marie. Napper les TAGADA® et les queues de cerise de chocolat blanc fondu. Laisser sécher. Planter les queues de cerise dans les TAGADA®
4- Dans un grand bol, monter la crème liquide en chantilly avec l'extrait de vanille. Quand le mélange commence à prendre, verser le Cremfix® et le sucre glace puis mélanger.
5- Verser la chantilly dans une poche à douille. Remplir les moules en chocolat de chantilly et terminer en posant une cerise recouverte de chocolat sur chaque moule.

MINI TARTELETTES AUX TAGADA®

25 MIN DE PRÉPARATION – 15 À 20 MIN DE CUISSON

POUR 6 TARTELETTES

FONDUE DE TAGADA®

7 TAGADA® coupées
en morceaux

6 framboises

CRÈME PÂTISSIÈRE

25 cl de lait

½ gousse de vanille

60 g de sucre en poudre

2 cuillerées à soupe
de Maïzena

1 cuillerée à soupe
de farine

3 jaunes d'œufs

1 cuillerée à café
de beurre

PÂTE SUCRÉE

200 g de farine

45 g de sucre en poudre

140 g de beurre ramolli

½ cuillerée à café
d'extrait de vanille

1 œuf

1- Dans une casserole, faire chauffer les TAGADA®
et 3 cuillerées à soupe d'eau à feu doux jusqu'à dissolution.
2- Fendre la gousse de vanille en deux dans la longueur
et, à l'aide d'un couteau, récupérer les graines.
3- Dans une casserole, faire chauffer à feu doux le lait,
la demi-gousse de vanille et les graines.
4- Dans un bol, faire blanchir les jaunes d'œufs avec
le sucre puis ajouter la farine et la Maïzena. Verser le lait
en filet et mélanger au fouet énergiquement.
5- Reverser le tout dans la casserole et chauffer à feu doux
pendant 1 minute, le temps que la crème épaississe, sans
cesser de remuer. Laisser refroidir puis réserver au réfrigérateur.
6- Verser la farine, le sucre et des petits cubes de beurre dans
un bol. Écraser le beurre des bouts des doigts.
7- Battre l'œuf avec l'extrait de vanille et verser sur la pâte.
Mélanger à l'aide d'une fourchette puis poser la pâte sur
le plan de travail. La travailler à la main et ajouter de la farine
si elle colle trop. Diviser la pâte en 6 portions et à l'aide d'un
rouleau à pâtisserie, les abaisser sur une épaisseur de 0,5 cm.
8- Tapisser les moules à tartelette préalablement beurrés
de pâte. Enfourner et faire cuire à blanc pendant 10 à
15 minutes jusqu'à ce qu'elles soient dorées. Laisser refroidir.
9- Remplir les tartelettes de crème pâtissière puis remplir
chaque framboise de TAGADA® fondues et les disposer sur
les tartelettes.

PANCAKES, CHANTILLY & POUDRE DE TAGADA®

15 MIN DE PRÉPARATION – 1 H DE RÉFRIGÉRATION – 25 MIN DE CUISSON

POUR 6 À 8 PANCAKES

125 g de farine

3 œufs

6 cl de lait ou lait ribot

5 cl de crème liquide

55 g de beurre

20 g de sucre en poudre

1 pincée de sel fin

1 cuillerée à café de levure chimique

les zestes de ½ citron et de ½ orange

10 TAGADA® rapées finement

1- Dans une casserole, faire fondre le beurre à feu doux.

2- Séparer les blancs des jaunes d'œufs.

3- Monter les blancs en neige avec le sel.

4- Dans un bol, mélanger les jaunes d'œufs avec le sucre et les zestes d'orange et de citron. Ajouter le lait, la farine et la levure chimique. Verser le beurre fondu puis incorporer délicatement les blancs en neige. Mélanger et réserver au réfrigérateur 1 heure minimum.

5- Monter la crème liquide bien froide en chantilly.

6- Dans une poêle, faire fondre une noisette de beurre puis verser une petite louche de pâte. Faire cuire quelques minutes de chaque côté. Continuer jusqu'à épuisement de la pâte.

7- Servir les pancakes avec la chantilly et la poudre de TAGADA®.

RIZ AU LAIT, COULIS TAGADA®

10 MIN DE PRÉPARATION – 1 H 15 DE CUISSON

POUR 4 À 6 PERSONNES

LE RIZ

130 g de riz rond

1 l de lait

½ gousse de vanille

15 g de sucre en poudre

le zeste de ½ orange

20 cl de crème liquide

LA SAUCE AUX FRUITS

200 g de cerises dénoyautées

50 g de fraises

100 g de sucre en poudre

6 TAGADA®

LA CRÈME CHANTILLY

20 cl de crème liquide bien froide

½ sachet de Cremfix® (facultatif)

3 cuillerées à soupe de sucre glace

25 g d'amandes effilées

1- Fendre la gousse de vanille en deux dans la longueur et, à l'aide d'un couteau, récupérer les graines.

2- Dans une casserole, mettre le riz avec ½ dl d'eau, le lait écrémé, la gousse de vanille et les graines, le sucre et le zeste d'orange finement râpé. Faire bouillir à feu doux pendant environ 1 heure. Mélanger régulièrement pour que le riz n'accroche pas.

3- Une fois que le riz a bien absorbé tout le liquide et qu'il est très onctueux, mettre hors du feu et laisser refroidir complètement.

4- Dans une casserole, verser les cerises, les fraises, le sucre, 5 cl d'eau et les TAGADA® et faire cuire à feu doux pendant 15 minutes en remuant de temps en temps.

5- Monter la crème liquide en chantilly. Quand elle commence à bien prendre, verser le Cremfix® puis le sucre glace et continuer de monter jusqu'à obtenir l'épaisseur souhaitée.

6- Une fois le riz au lait bien froid, le mélanger délicatement avec la crème chantilly et les amandes effilées.

7- Servir le riz au lait accompagné du coulis aux TAGADA® et décoré de quelques zestes d'orange.

BEIGNETS & POUDRE DE TAGADA®

15 MIN DE PRÉPARATION – 1 H DE RÉFRIGÉRATION – 10 À 15 MIN DE CUISSON

POUR 4 PERSONNES

1 cuillerée à soupe
de sucre en poudre

1 jaune d'œuf

1 dl de lait ribot ou lait

5 g de beurre fondu

1 pincée de sel

150 g de farine

le zeste de ½ orange

2 blancs d'œufs

20 à 25 TAGADA®
râpées finement

huile de tournesol

1- Mélanger le sucre et le jaune d'œuf dans un grand bol
puis ajouter le lait ribot, 1 dl d'eau tiède, le beurre, le sel
puis la farine et les zestes d'orange. Bien mélanger et laisser
reposer environ 1 heure au réfrigérateur.

2- Battre les blancs d'œufs en neige puis les incorporer
délicatement à la pâte.

3- Former des petites boules de pâte à la main.

4- Dans une casserole, faire chauffer de l'huile à environ 170 °C
puis faire frire les petites boules de pâte jusqu'à ce qu'elles
soient bien dorées. Les déposer sur du papier absorbant
et les rouler ensuite dans la poudre de TAGADA®.

JELLY TAGADA®

10 MIN DE PRÉPARATION – 3 À 4 H DE RÉFRIGÉRATION – 20 MIN DE CUISSON

POUR 4 PERSONNES

250 g de fraises
équeutées et coupées
en quatre

8 TAGADA® coupées
en morceaux

25 g de sucre en poudre

3 feuilles ½ de gélatine

1- Dans une casserole, faire chauffer les fraises, les TAGADA®,
20 cl d'eau et le sucre à feu moyen pendant 20 minutes.
2- Dans un bol d'eau froide, faire tremper les feuilles
de gélatine pendant environ 5 minutes pour les faire ramollir.
3- Filtrer le jus de fraise. Il faut obtenir 185 g de jus, ajouter
de l'eau si nécessaire.
4- Dans une casserole, faire chauffer le jus à feu doux et ajouter
les feuilles de gélatine essorées et mélanger rapidement.
5- Verser dans des moules individuels et laisser prendre
au réfrigérateur 3 à 4 heures minimum. Démouler puis servir.

BONBONS TAGADA®, CARAMEL & CACAHUÈTES

10 MIN DE PRÉPARATION
20 MIN DE CUISSON

**POUR
1 PLAQUETTE
DE BONBONS**

120 g de TAGADA®

125 g de sucre
en poudre

50 g de
cacahuètes
grillées
légèrement
salées

huile de pépins
de raisin

1- Huiler une grande feuille de papier
cuisson et en tapisser un moule de 20 x 20 cm.
2- Dans une casserole, faire chauffer les TAGADA®
avec 10 cl d'eau à feu doux en remuant régulièrement.
Ajouter ensuite le sucre et, à l'aide d'un thermomètre à sucre,
porter la température du mélange à 145 °C en mélangeant de temps en temps.
3- Verser la préparation directement sur le papier cuisson, parsemer de cacahuètes
et laisser refroidir.
4- Une fois la plaque de bonbons complètement refroidie, la casser en morceaux.
Conserver dans une boîte hermétique en intercalant du papier cuisson entre les morceaux.

BONBONS TAGADA®
CARAMEL & POIVRE

10 MIN DE PRÉPARATION
20 MIN DE CUISSON

**POUR
1 PLAQUETTE
DE BONBONS**

130 g de fraises
équeutées
et coupées
en quatre

8 TAGADA®
+ quelques
TAGADA® râpées

130 g de sucre
en poudre

1 petite pincée de
poivre blanc moulu

huile de pépins
de raisin

1- Huiler une grande feuille de papier cuisson et en tapisser un moule de 20 x 20 cm.

2- Dans une casserole, faire chauffer les TAGADA®, les fraises et 10 cl d'eau à feu doux environ 20 minutes puis filtrer le jus. Il faut obtenir 85 cl de jus, ajouter de l'eau si nécessaire.

3- Dans une casserole, verser 30 cl d'eau, le sucre, le jus de fraise, le poivre et chauffer à feu doux jusqu'à dissolution du sucre tout en mélangeant. Ensuite, à l'aide d'un thermomètre à sucre, monter la température jusqu'à 145 °C environ en remuant régulièrement.

4- Verser la préparation sur le papier cuisson, saupoudrer de poudre de TAGADA® et laisser refroidir.

5- Une fois la plaque de bonbons complètement refroidie, la casser en morceaux.

Conserver dans une boîte hermétique en intercalant du papier cuisson entre les morceaux.

SUCETTES TAGADA®

10 À 15 MIN DE PRÉPARATION – 10 À 15 MIN DE CUISSON

POUR 6 SUCETTES

250 g de fraises
équeutées et coupées
en quatre

90 g de sucre en poudre

20 g de TAGADA®

6 bâtonnets à sucette

huile de pépins de raisin

1- Huiler une grande feuille de papier cuisson.
2- Dans une casserole, faire chauffer les fraises et 3 cuillerées à soupe d'eau à feu très doux sans mélanger jusqu'à ce que les fraises soient cuites. Filtrer le jus.
3- Dans une casserole, verser le jus de fraise avec le sucre et les TAGADA® puis faire chauffer à feu doux jusqu'à dissolution du sucre. Bien mélanger. À l'aide d'un thermomètre à sucre, monter la température du mélange à 145 °C environ. Réserver hors du feu.
4- Verser 1 cuillerée à soupe de la préparation en formant un petit rond sur le papier de cuisson, poser aussitôt un bâtonnet et le recouvrir avec 1 cuillerée à soupe de la préparation. Recommencer l'opération pour les sucettes restantes.
5- Laisser refroidir complètement et les conserver dans une boîte hermétique avec du papier cuisson entre chaque sucette.

CONFITURE DE TAGADA®

10 MIN DE PRÉPARATION – 24 H DE REPOS – 15 MIN DE CUISSON

POUR 2 POTS

750 g de fraises
équeutées et coupées
en deux
500 g de sucre
à confiture
½ gousse de vanille
le jus de ½ citron
10 TAGADA®

1 - La veille, mélanger les fraises avec le sucre et remuer délicatement le tout puis laisser macérer 24 heures.
2 - Fendre la gousse de vanille en deux dans la longueur et, à l'aide d'un couteau, récupérer les graines.
3 - Le lendemain, dans une casserole, faire cuire les fraises macérées environ 15 minutes à feu vif avec le jus de citron, les TAGADA® et les graines de la gousse de vanille. Retirer à l'aide d'une cuillère la mousse qui se forme à la surface régulièrement. Vérifier la consistance de la confiture en versant une goutte du mélange sur une assiette. Si elle se fige très vite, elle est prête pour être versée dans les pots à confiture.
4 - Stériliser les pots et les couvercles dans de l'eau bouillante puis laisser sécher sur un torchon propre.
5 - Remplir les pots de confiture et les fermer hermétiquement puis les retourner pour en vider l'air.

BARRE CÉRÉALES AUX TAGADA®

5 MIN DE PRÉPARATION – 30 MIN DE CUISSON

POUR 8 BARRES

170 g de flocons d'avoine

15 g de riz soufflé

20 g de copeaux de noix de coco

30 g d'amandes concassées

15 g de graines de courgette

6 TAGADA® coupées en morceaux

4 cuillerées à soupe de miel d'acacia

1 cuillerée à soupe de sirop d'érable

150 g de lait concentré

huile de pépins de raisin

1 - Préchauffer le four à 160 °C.

2 - Huiler une grande feuille de papier cuisson et en tapisser un moule de 20 x 20 cm.

3 - Mettre dans un grand bol l'avoine, le riz soufflé, la noix de coco, les amandes, les graines de courgette, les TAGADA®, le miel, le sirop d'érable et le lait concentré. Bien mélanger.

4 - Verser le mélange dans le moule et en tapisser le fond du moule. Il faut que le mélange soit compact et d'une épaisseur de 2,5 cm environ.

5 - Enfourner pendant environ 30 minutes et laisser refroidir avant de découper des petites barres. Conserver maximum 1 semaine dans une boîte hermétique.

FLORENTINS AUX TAGADA®

20 MIN DE PRÉPARATION – 10 À 15 MIN DE CUISSON

POUR 6 BISCUITS

150 g de sucre en poudre

50 g de miel d'acacia

15 cl de crème liquide

100 g d'amandes effilées

10 g de corn flakes

4 g de pop-corn

6 TAGADA® coupées
en morceaux

100 g de chocolat au lait
(ou noir selon vos goûts)

1- Préchauffer le four à 150 °C.

2- Beurrer les moules à florentins.

3- Dans une casserole, faire chauffer le sucre, le miel et la crème liquide et, à l'aide d'un thermomètre à sucre, faire monter la température du mélange jusqu'à 114 °C environ. Ajouter ensuite les amandes, les corn flakes, les pop-corn et les TAGADA®. Bien mélanger.

4- Remplir les moules avec la pâte.

5- Enfournez pendant 10 à 15 minutes jusqu'à ce qu'ils soient bien dorés. Laisser refroidir.

6- Entre-temps, couper le chocolat en gros morceaux et le faire fondre au bain-marie.

7- Tremper les florentins démoulés dans le chocolat fondu et laisser sécher.

GRANOLA AUX TAGADA®

10 À 15 MIN DE PRÉPARATION – 35 MIN DE CUISSON

POUR 1 BOCAL

300 g de grands flocons
d'avoine

50 g de petits flocons
d'avoine

50 g de riz soufflé
de quinoa

15 g de graines
de sésame

65 g de graines
de tournesol

100 g d'amandes entières

2,5 cl de sirop d'érable

½ cuillerée à café
d'extrait de vanille

20 cl de miel d'acacia

30 cl d'huile de tournesol

20 g de sucre de canne

20 g de copeaux de noix
de coco

6 TAGADA® coupées
en petits morceaux

1- Préchauffer le four à 160 °C.
2- Mettre les flocons d'avoine, le riz soufflé, les graines
et les amandes dans un grand saladier.
3- Dans une casserole, verser le sirop d'érable, l'extrait de
vanille, le miel, 30 cl d'eau, l'huile de tournesol et le sucre
puis faire chauffer à feu doux, en remuant de temps en temps,
pour bien dissoudre le miel et le sucre. Verser dans le bol
sur les céréales et bien mélanger.
4- Sur la plaque du four, étaler le mélange et enfourner pour
15 minutes puis baisser la température à 120 °C et laisser
cuire encore 10 minutes en mélangeant régulièrement.
Parsemer de copeaux de noix de coco et laisser caraméliser
10 minutes supplémentaires. Il faut que le granola soit bien doré.
5- Laisser refroidir puis ajouter les petits morceaux de
TAGADA®. Verser le granola dans un bocal hermétique
et conserver 2 à 3 semaines.

SIROP DE TAGADA®

5 MIN DE PRÉPARATION - 15 À 20 MIN DE CUISSON

1- Couper la rhubarbe en morceaux de 3 cm.
2- Dans une casserole, faire chauffer la rhubarbe, les framboises, les TAGADA® et 60 cl d'eau à feu moyen en remuant de temps en temps pendant 10 à 15 minutes.
3- Filtrer et remettre à chauffer le jus dans une casserole avec le sucre, le jus de citron et l'extrait de vanille. Porter à ébullition et retirer au fur et à mesure la mousse blanche qui se forme à la surface à l'aide d'une cuillère. Il faut que le sirop soit clair.
4- Verser le sirop dans une bouteille et conserver au réfrigérateur.

POUR 1 L DE SIROP

100 g de rhubarbe
250 g de framboises
10 TAGADA®
30 g de sucre de canne
le jus de ½ citron
½ cuillerée à café d'extrait de vanille

INFUSION RÉGRESSIVE AUX TAGADA®

10 MIN DE PRÉPARATION

POUR 1 L D'INFUSION

2 c. à s. de camomille séchée

3 TAGADA® coupées en morceaux

5 pop-corn concassés

2 c. à s. d'un mélange de thé avec des fruits séchés (ananas, hibiscus, pétales de rose, etc.)

1- Dans un morceau de gaze, mettre tous les ingrédients.
2- Refermer le sachet avec de la ficelle et le mettre dans une théière puis verser 1 l d'eau bouillante. Laisser infuser minimum 5 minutes puis déguster.

MILK-SHAKE BANANE, TAGADA® & GLACE COCO

20 MIN DE PRÉPARATION

POUR 2 VERRES

15 cl de lait + 2 cuillerées
à soupe

7 TAGADA® coupées
en morceaux

1 banane mûre

8 fraises équeutées
et coupées en quatre

2 cuillerées à soupe de
glace à la noix de coco

1- Mettre 15 cl de lait au congélateur pendant la préparation
des autres ingrédients.

2- Dans une casserole, faire chauffer les TAGADA® avec
2 cuillerées à soupe de lait à feu doux en mélangeant
jusqu'à ce qu'elles soient fondues. Réserver hors du feu.

3- Écraser la banane grossièrement à l'aide d'une fourchette.

4- Sortir le lait du congélateur et verser tous les ingrédients
dans le bol du mixeur puis mixer finement.

5- Verser le milk-shake dans 2 grands verres et servir aussitôt.

SAKÉ TAGADA®

5 MIN DE PRÉPARATION – 4 À 10 JOURS DE REPOS

POUR 1 PETITE BOUTEILLE

25 cl de saké

120 g de TAGADA® coupées en morceaux

1- Dans le bocal, verser le saké puis les TAGADA®. Laisser infuser pendant 4 à 10 jours selon la température ambiante.
2- Une fois les fraises dissoutes, réserver au réfrigérateur et servir avec des glaçons.